这是我的书
It's MY BOOK

6级：300字

谁家的可可

# 可可和小



原作：胡一毕（Yibi Hu）
改编：秦志宁（Zhining Chin）

北京语言大学出版社
BEIJING LANGUAGE AND CULTURE
UNIVERSITY PRESS

PHOENIX TREE
PHOENIX
TREE
PUBLISHING INC.

**识读** 喜欢 身边 弟弟
高兴 穿

**句型** ……都……

**字数** 304字

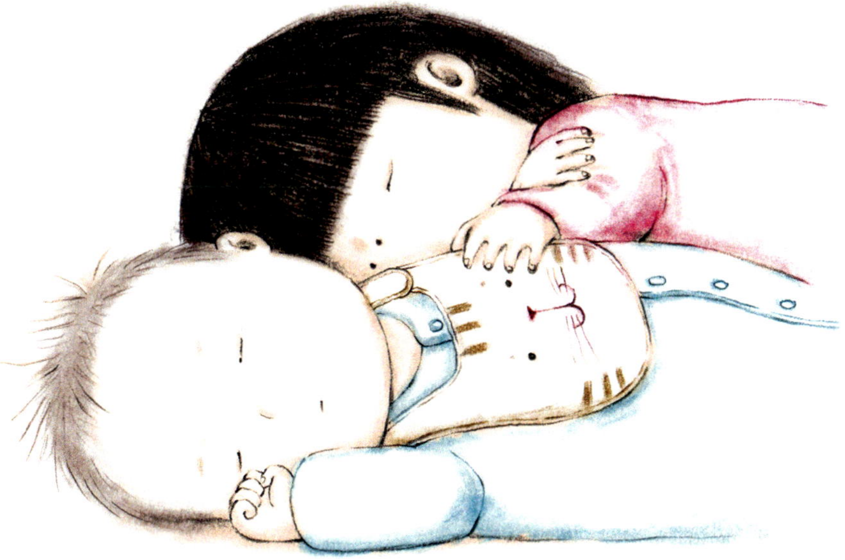

kě kě yǒu le yí gè xiǎo dì di tā tiān tiān xiǎng
可可有了一个小弟弟。她天天想：

yǒu le xiǎo dì di bà ba mā ma huì bu huì jiù
有了小弟弟，爸爸妈妈会不会就

zhǐ xǐ huan xiǎo dì di bù xǐ huan wǒ le
只喜欢小弟弟，不喜欢我了？

bà ba mā ma shuō kě kě nǐ zhī dào ma
爸爸妈妈说：“可可，你知道吗？
nǐ hé dì di bà ba mā ma dōu ài wǒ men duì
你和弟弟爸爸妈妈都爱。我们对
nǐ hé xiǎo dì di de ài jiù xiàng yáng guāng
你和小弟弟的爱就像阳光。

yào shi nǐ zài shài tài yáng shēn biān yòu lái le yí gè
要是你在晒太阳，身边又来了一个

rén nǐ shēn shang de yáng guāng jiù méi yǒu le ma
人，你身上的阳光就没有了吗？”

kě kě míng bai le bú huì wǒ men dōu néng shài
可可明白了：“不会，我们都能晒

dào tài yáng
到太阳！”

kě kě de xiǎo dì di yì tiān tiān zhǎng dà kě kě yuè lái yuè
可可的小弟弟一天天长大，可可越来越
xǐ huan tā kě kě kāi shǐ wèi xiǎo dì di zhuó xiǎng le mā
喜欢他。可可开始为小弟弟着想了。妈
ma shuō kě kě xiǎo shí hou chuān de yī fu xiàn zài kě yǐ
妈说：“可可小时候穿的衣服现在可以
gěi dì di chuān kě kě jiù dǎ kāi zì jǐ de yī guì bǎ
给弟弟穿。”可可就打开自己的衣柜，把
bù néng chuān de xiǎo yī fu xiǎo xié zi dōu zhǎo le chu lai
不能穿的小衣服、小鞋子都找了出来。

yǒu yí jiàn yī fu tài jiù le bà ba ná qi lai
有一件衣服太旧了，爸爸拿起来
xiǎng rēng diào kě kě shuō zhè jiàn yī fu bú yào
想扔掉。可可说：“这件衣服不要
rēng yào liú gěi xiǎo dì di
扔，要留给小弟弟！”

bà ba shuō nǐ kàn zhè jiàn yī fu shang yǒu yí
爸爸说："你看，这件衣服上有一

gè dòng kě kě míng bai le chuān yǒu dòng de yī
个洞！"可可明白了："穿有洞的衣

fu dì di huì bù gāo xìng de wǒ men yào ràng dì
服，弟弟会不高兴的。我们要让弟

di chuān de nuǎn nuǎn huo huo zhěng zhěng qí qí de
弟穿得暖暖和和、整整齐齐的！"

kě kě de dì di yào xiàng kě kě yí yàng chéng wéi
可可的弟弟要像可可一样，成为
kě ài de xiǎo dì di dà jiā dōu huì xǐ huan tā
可爱的小弟弟，大家都会喜欢他，
jiù xiàng xǐ huan kě kě yí yàng
就像喜欢可可一样！

1 可可有了一个小弟弟。她天天想：有了小弟弟，爸爸妈妈会不会就只喜欢小弟弟，不喜欢我了？

2 爸爸妈妈说：“可可，你知道吗？你和弟弟爸爸妈妈都爱。我们对你和小弟弟的爱就像阳光。

3 要是你在晒太阳，身边又来了一个人，你身上的阳光就没有了吗？”可可明白了：“不会，我们都能晒到太阳！”

4 可可的小弟弟一天天长大，可可越来越喜欢他。可可开始为小弟弟着想了。妈妈说：“可可小时候穿的衣服现在可以给弟弟穿。”可可就打开自己的衣柜，把不能穿的小衣服、小鞋子都找了出来。

5 有一件衣服太旧了，爸爸拿起来想扔掉。可可说：“这件衣服不要扔，要留给小弟弟！”

6 爸爸说：“你看，这件衣服上有一个洞！”可可明白了：“穿有洞的衣服，弟弟会不高兴的。我们要让弟弟穿得暖暖和和、整整齐齐的！”

7 可可的弟弟要像可可一样，成为可爱的小弟弟，大家都会喜欢他，就像喜欢可可一样！

1

2

3

4

5

6

7